PLOP

De baby

® lic. STUDIO 100 - Belgium
www.studio100.be

Plop, Kwebbel, Klus en Lui zitten gezellig buiten.

Plots schrikken ze van een vreemd geluid.

Zo'n vreemd geluid hebben de kabouters nog nooit gehoord !

Nieuwsgierig sluipen ze door het struikgewas...

Het is een grote-mensen-baby !
De baby huilt !

Als de baby de kabouters ziet, stopt hij met huilen. "Hij is vast verdwaald", vreest Kwebbel.

"Hier is zijn fopspeen !" lacht Klus.

PLETS ! doet de fopspeen in het gezicht van Klus.

Dat vindt de baby grappig !

Nu maakt Klus gekke sprongen.
Dat vindt de baby ook leuk !

Maar Klus struikelt... en valt in de beek !

Plop, Kwebbel en Lui halen Klus uit het water. De baby schatert van het lachen.

PROOOT ! klinkt het dan opeens.

Dan begint de baby weer te huilen.
"Hij moet dringend een schone luier aan !"
weet Kwebbel.

Met z'n vieren dragen de kabouters
de baby door het bos.

Even verderop liggen zijn mama en papa te zonnen.

Stilletjes leggen de kabouters de baby neer...

...en hollen dan snel weg.

"Wat een lieve baby", vindt Kwebbel.
"Maar hij stonk wel een beetje !"
lachen de andere kabouters.

De baby

Dit **PLOP**-boekje is een realisatie van

Studio100

Creatie: Studio 100

Met medewerking van: Danny Verbiest, Gert Verhulst, Hans Bourlon,
Wim Swerts, Luc Van Asten en Vera Gheysels

Niets uit deze uitgave mag door middel van elektronische of andere middelen, met inbegrip van automatische informatiesystemen, worden gereproduceerd en/of openbaar gemaakt zonder voorafgaande schriftelijke toestemming van de uitgever, uitgezonderd korte fragmenten, die uitsluitend voor recensies mogen worden geciteerd.

No part of this book may be reproduced in any form or by any electric or mechanical means, including information storage or retrieval devices or systems, without prior written permission from the publisher, except that brief passages may be quoted for review.

Wettelijk depot: D/2003/8069/15
ISBN 90-5916-070-3
NUR: 280
3e druk: februari 2009

® lic. STUDIO 100 - Belgium
www.studio100.be / www.studio100.nl